D0608625

# PENSÉES INSPIRANTES
# DES FEMMES CÉLÈBRES

DANS LA MÊME COLLECTION
CHEZ LE MÊME ÉDITEUR

*Pensées inspirantes des grands hommes,*
2006.

*Pensées inspirantes des leaders spirituels,*
2006.

# PENSÉES INSPIRANTES DES FEMMES CÉLÈBRES

*rassemblées par*
*Joseph Vebret*

PRESSES DU CHÂTELET

Si vous souhaitez recevoir notre catalogue et
être tenu au courant de nos publications,
envoyez vos nom et adresse, en citant ce
livre, aux Presses du Châtelet,
34, rue des Bourdonnais 75001 Paris.
Et, pour le Canada, à
Édipresse Inc., 945, avenue Beaumont,
Montréal, Québec, H3N 1W3.

ISBN 2-84592-170-5

## Avant-propos

« *La femme est l'avenir de l'homme* » a dit le
poète Louis Aragon, relayé par Jean Ferrat qui
en fit le titre d'une de ses chansons. Parce
qu'elle porte l'enfant, il est indéniable qu'elle
porte l'avenir ; techniquement, mécaniquement
pourrait on dire avec un cynisme provocateur.
Mais est-elle vraiment considérée à sa juste
valeur des points de vue intellectuel et philoso-
phique ? Combien de temps encore lui fera-
t-on payer le péché originel, dont Adam fut
pourtant la victime plus que consentante ?

Combien de temps encore sera-t-elle rabais-
sée à ce seul rôle de reproductrice, par les trois
quarts de la planète et même, à deux pas de
chez nous, par notre voisin peut-être. Le
machisme, la phallocratie et surtout la bêtise ont
encore de beaux jours devant eux ; ils aveuglent
ceux qui ne veulent pas voir la place primor-
diale que la femme occupe aujourd'hui – et qui
ira en grandissant – dans tous les secteurs de la
vie politique, économique et sociale.

Aujourd'hui, des femmes dirigent des entreprises, des municipalités, des gouvernements et même des nations. Tout comme ce sont elles qui s'élèvent avec le plus de courage contre les inégalités, la barbarie ou la misère du monde. Dans l'ombre ou en pleine lumière, elle agissent, imposent, conseillent, rassérènent. Et elles pensent. De Simone de Beauvoir à Marguerite Yourcenar, de Colette à Simone Weil, en passant par Sœur Emmanuelle ou Mère Teresa, elle s'engagent, et toujours expriment la sagesse et la vérité.

Leurs mots inspirent et donnent à réfléchir. Leurs écrits évoquent l'amour, mais aussi le monde, la paix, le rêve, le rire et la richesse. Des mots qui disent la vie, tout simplement, cette vie qu'elles donnent et protègent avec abnégation, bravoure et volonté. Et cette évidence, énoncée par Virginia Woolf, qu'il convient de répéter inlassablement : *« Aucun de nous n'est complet en lui seul. »*

# ACCOMPLISSEMENT

C'est au sein du transitoire que l'homme s'accomplit, ou jamais.

*Simone de Beauvoir*

❧

Il n'y a de peine irrémédiable, sauf la mort.

*Colette*

❧

J'ai compris que peu d'hommes se réalisent avant de mourir.

*Marguerite Yourcenar*

❧

Nous ne sommes écrasés que quand nous acceptons qu'il en soit ainsi.

*Nathalie Sarraute*

Il est plus important d'être soi-même que qui ce soit d'autre.

*Virginia Woolf*

Rien n'est plus lent que la véritable naissance d'un homme.

*Marguerite Yourcenar*

Aucun de nous n'est complet en lui seul.

*Virginia Woolf*

La réalité est une chose au-dessus de laquelle il faut s'élever.

*Liza Minnelli*

On n'aspire pas à être normal, c'est plutôt quelque chose dont on veut sortir.

*Jodie Foster*

# ÂGE

L'âge ne vous protège pas des dangers de l'amour. Mais l'amour, dans une certaine mesure, vous protège des dangers de l'âge.

*Jeanne Moreau*

Vivre, c'est vieillir, rien de plus.

*Simone de Beauvoir*

Nous ne vieillissons pas d'une année sur l'autre, nous nous renouvelons chaque jour.

*Emily Dickinson*

Quand je n'aurais appris qu'à m'étonner, je me trouverais bien payée de vieillir.

*Colette*

Un printemps meurt, en vient un autre.
Et tout change, et tout est pareil.

*Édith Piaf*

Quel que soit votre âge, ne pas se sentir aimé, c'est
se sentir repoussé.

*Coco Chanel*

Cacher son âge, c'est supprimer ses souvenirs.

*Arletty*

# ÂME

J'ai peine à croire qu'en perdant ceux qu'on aime on conserve son âme entière.

*George Sand*

∽

Il y a pour l'âme humaine trois façons de sentir : le plaisir, la douleur et un troisième sentiment où coexistent les deux autres : l'amour.

*Madame de Staël*

∽

Le véritable lieu de naissance est celui où l'on a porté pour la première fois un coup d'œil intelligent sur soi-même.

*Marguerite Yourcenar*

∽

Les chambres intérieures de l'âme sont comme la chambre noire du photographe. On ne peut y séjourner longtemps, sinon cela devient la cellule du névrosé.

*Anaïs Nin*

Nous voyageons pour chercher d'autres états, d'autres vies, d'autres âmes.

*Anaïs Nin*

# Amitié

L'amitié, comme l'amour, demande beaucoup d'efforts, d'attention, de constance, elle exige surtout de savoir offrir ce que l'on a de plus cher dans la vie : du temps !

*Catherine Deneuve*

❧

Il est bon de traiter l'amitié comme les vins et de se méfier des mélanges.

*Colette*

❧

L'amitié, c'est le respect, l'acceptation totale d'un autre être.

*Marguerite Yourcenar*

❧

Il est sage de verser sur le rouage de l'amitié l'huile de la politesse délicate.

*Colette*

Il est important d'avoir un certain degré de désir sexuel, une euphorie, dans l'amour romantique comme dans ses amitiés.

*Sharon Stone*

Chacun de nous ne peut avoir au cours de son existence qu'un seul ami qui ne semble une personne étrangère et qui nous donne la signification de notre âme.

*Edith Wharton*

L'amitié sans confiance, c'est une fleur sans parfum.

*Laure Conan*

Les seuls amis dignes d'intérêt sont ceux que l'on peut appeler à quatre heures du matin.

*Marlène Dietrich*

# AMOUR

Rien n'est petit dans l'amour. Ceux qui attendent les grandes occasions pour prouver leur tendresse ne savent pas aimer.

*Laure Conan*

Il y a deux sortes d'amour : l'amour insatisfait, qui vous rend odieux, et l'amour satisfait, qui vous rend idiot.

*Colette*

C'est l'amour qui fait rêver.

*Édith Piaf*

— Qu'avez-vous le plus aimé ?
— Aimer.
— Et s'il fallait choisir plusieurs choses ?
— Je choisirais plusieurs fois l'amour !

*Natalie Clifford Barney*

❧

Quand vraiment on ne veut plus aimer, on n'aime plus : mais on ne veut pas à volonté.

*Simone de Beauvoir*

❧

L'amour est un égoïsme à deux.

*Madame de Staël*

❧

Quand on est aimé, on ne doute de rien. Quand on aime, on doute de tout.

*Colette*

❧

Il y a une infinie douceur à aller au-devant de l'amour, au-devant de la demande. Il y a une lumineuse noblesse à offrir ce qui nous manque et à nous réjouir d'un simple sourire.

*Marie de Solemme*

❧

Être content est une façon d'aimer.

*Clarice Lispector*

❧

La haine n'est-elle pas le risque de la charité ? La haine, l'amour, et si ce n'était que l'envers et l'endroit d'une même feuille ?

*Anne Hébert*

❧

Si l'amour embellit les femmes, les femmes, elles, embellissent l'amour.

*Anne Bernard*

❧

Le seul alchimiste capable de tout changer en or est l'amour. L'unique sortilège contre la mort, la vieillesse, la vie routinière, c'est l'amour.

*Anaïs Nin*

# ART

L'art est une démonstration dont la nature est
la preuve.

*George Sand*

❧

Tout bonheur est un chef-d'œuvre : la moindre
erreur le fausse, la moindre hésitation l'altère,
la moindre lourdeur le dépare, la moindre sottise
l'abêtit.

*Marguerite Yourcenar*

❧

Les chefs-d'œuvre ne sont jamais que des tentatives
heureuses.

*George Sand*

❧

C'est dans l'art que l'homme se dépasse définitivement lui-même.

*Simone de Beauvoir*

# Autonomie

Les femmes se forgent à elles-mêmes les chaînes dont l'homme ne souhaite pas les charger.

*Simone de Beauvoir*

❧

L'humanité est une suite discontinue d'hommes libres qu'isole irrémédiablement leur subjectivité.

*Simone de Beauvoir*

❧

Comprendra-t-on cette importance que prend pour vous toute chose si nul autre que vous ne l'a décidée, menée à bien ?

*Ella Maillart*

❧

Se vouloir libre, c'est aussi vouloir les autres libres.

*Simone de Beauvoir*

Rien n'est jamais joué si l'on se refuse à subir.

*Françoise Giroud*

Être libre, quand ce ne serait que pour changer sans cesse d'esclavage.

*Natalie Clifford Barney*

On n'est pas libre tant qu'on désire, qu'on veut, qu'on craint, peut-être tant qu'on vit.

*Marguerite Yourcenar*

Certains ont peur, tout simplement parce qu'il est plus facile d'avoir une femme sous sa coupe qu'une femme indépendante. Les femmes sont de plus en plus fortes, c'est cela qui effraie les hommes. Mais de là à ce que nous fassions dix pas en arrière pour que les hommes se sentent mieux, non !

*Monica Bellucci*

# AVENIR

L'avenir ne nous apporte rien, ne nous donne rien ;
c'est nous qui, pour le construire, devons tout lui
donner, lui donner notre vie elle-même.

*Simone Weil*

Je doute parce que je crois que l'avenir saura mieux.

*Elsa Triolet*

Le présent, nous y sommes attachés. L'avenir, nous
le fabriquons dans notre imagination. Seul le passé,
quand nous ne le refabriquons pas, est réalité pure.

*Simone Weil*

L'humanité reste lancée dans une impitoyable bataille pour maîtriser. Rien n'est écrit d'avance, c'est nous qui créons l'avenir.

*Nina Berberova*

# AVENTURE

La route ne me semble captivante que si j'ignore le
but où elle me conduit.

*Alexandra David-Néel*

❧

La vie est une aventure audacieuse ou elle n'est rien.

*Helen Keller*

❧

L'audace ne consiste pas seulement à courir les cinq
parties du monde pour en ramener du jade et de l'argent, mais également à apprendre à faire des maca-
ronis avec les Chinois, comme Marco Polo. Un
authentique aventurier, celui-là, qui sut découvrir ce
que renferme d'épique le quotidien.

*Augustina Bessa Luis*

❧

Il n'est aucun être qui ne parte chaque jour et à chaque minute, consciemment ou non, pour quelque aventure.

*Alexandra David-Néel*

Le voyage n'est nécessaire qu'aux imaginations courtes.

*Colette*

La vie est un défi à relever, un bonheur à mériter, une aventure à tenter.

*Mère Teresa*

Toutes les complications de l'existence et cette existence elle-même sont, après tout, choses que l'on peut traiter légèrement, les fous seuls bâtissent sur elles des drames à grand fracas. Une bulle s'élève à la surface de l'eau, elle éclate la minute suivante, la vie n'est pas davantage et n'a pas une plus grande importance. Aujourd'hui, c'est un organisme animal ou humain qui se dissout, demain ce sera notre globe ou quelque gigantesque soleil arrivé au terme de ses jours sans nombre... un moustique ou un monde, dans l'infini, la différence est nulle.

*Alexandra David-Néel*

# Beauté

Il y a dans le grand bonheur, ou dans l'émotion passagère qui nous en donne l'illusion, une telle plénitude, une splendeur si surnaturelle qu'il n'est jamais trop cher payé pour les âmes impétueuses.

*Edith Wharton*

❧

L'état amoureux, c'est ce qu'il y a de mieux, même si ça rend parfois un peu idiot… On trouve tout génial, on n'est pas toujours très lucide, mais tant pis. Ou tant mieux, ça donne des ailes, et c'est le meilleur produit de beauté…

*Monica Bellucci*

La beauté n'a pas de cause. Elle est.
Qu'on la pourchasse, elle s'efface.
Qu'on s'arrête, elle demeure.

*Emily Dickinson*

❧

Très haut dans le ciel sont mes aspirations les plus
élevées. Il se peut que je ne sois pas en mesure de
les atteindre, mais je peux regarder en haut pour voir
leur beauté, croire en elles et tenter de les suivre.

*Louisa May Alcott*

❧

On s'étonne trop de ce qu'on voit rarement et pas
assez de ce qu'on voit tous les jours.

*Madame de Genlis*

❧

La beauté se raconte encore moins que le bonheur.

*Simone de Beauvoir*

❧

Vivre dans la joie est le meilleur maquillage qui soit.

*Roselyne Russell*

# Bien

Nous ne saurons jamais tout le bien qu'un simple sourire peut être capable de faire.

*Mère Teresa*

❧

Pourquoi est-il impossible de faire du bien à quelqu'un sans lui faire de mal ? Pourquoi est-il impossible d'aimer quelqu'un sans le détruire ?

*Amélie Nothomb*

❧

La beauté, c'est l'harmonie du hasard et du bien.

*Simone Weil*

❧

De toute éternité, le Beau est plus rentable que le Bien.

*Amélie Nothomb*

# BONHEUR

Le bonheur : comme une raison que la vie se donne
à elle-même.

*Simone de Beauvoir*

❧

Le bonheur n'est peut-être qu'un malheur mieux
supporté.

*Marguerite Yourcenar*

❧

Le bonheur, chez certaines natures, est comme un
déplacement de terrain en montagne. Sur le passé
enseveli, il étale une nouvelle couche pour les
semailles de l'avenir.

*Edith Wharton*

❧

Tout bonheur est une innocence.

*Marguerite Yourcenar*

❧

L'argent ne fait pas le bonheur en ménage, mais il aide à s'en passer.

*Madame de Staël*

❧

Le bonheur existe. Il est dans l'amour, la santé, la paix, le confort matériel, les arts, la nature et encore à des milliers d'endroits.

*Michèle Morgan*

❧

Il y a dans le grand bonheur, ou dans l'émotion pas-sagère qui nous en donne l'illusion, une telle pléni-tude, une splendeur si surnaturelle qu'il n'est jamais trop cher payé pour les âmes impétueuses.

*Edith Wharton*

❧

Lorsqu'une porte du bonheur se ferme, une autre s'ouvre ; mais parfois on observe si longtemps celle qui est fermée qu'on ne voit pas celle qui vient de s'ouvrir à nous.

*Helen Keller*

❧

Il faut admirer les gens capables d'être heureux.

*Amélie Nothomb*

❧

Bonheur : faire ce que l'on veut et vouloir ce que l'on fait.

*Françoise Giroud*

Quand on croit être heureux, vous savez que cela suffit pour l'être.

*Madame de La Fayette*

# Bonté

Il est étonnant que je n'aie pas encore abandonné tous mes espoirs, car ils paraissent absurdes et irréalisables. Pourtant, je m'y accroche, malgré tout, car je continue à croire à la bonté innée de l'homme.

*Anne Frank*

On a tort de craindre la supériorité de l'esprit et de l'âme ; elle est très morale cette supériorité, car tout comprendre rend très indulgent et sentir profondément inspire une grande bonté…

*Madame de Staël*

Le bonheur est une denrée merveilleuse : plus on en donne, plus on en a.

*Suzanne Curchod*

Après le verbe « aimer », « aider » est le plus beau verbe du monde.

*Bertha Kinsky, baronne de Suttner*

⚜

Le difficile, ce n'est pas de donner, c'est de ne pas tout donner.

*Colette*

⚜

Sème du bonheur dans le champ du voisin, tu seras surpris de constater ce que le vent fera produire au tien.

*Juliette Saint-Gelais*

⚜

J'ai pleuré parce que je n'avais pas de souliers, jusqu'au jour où j'ai vu quelqu'un qui n'avait pas de pieds.

*Helen Keller*

# CHARME

Quand on arrête d'essayer de plaire, on touche.
*Fanny Ardant*

Un être qui a du charme en a pour tout le monde.
*Madeleine Chapsal*

Un homme qui lit, ou qui pense, ou qui calcule,
appartient à l'espèce et non au sexe ; dans les
meilleurs moments il échappe même à l'humain.
*Marguerite Yourcenar*

# CHOIX

Choisir, être choisi, aimer : tout de suite après viennent le souci, le péril de perdre, la crainte de semer le regret.

*Colette*

Le seul mauvais choix est l'absence de choix.

*Amélie Nothomb*

L'esclave qui obéit choisit d'obéir.

*Simone de Beauvoir*

Il me déplaît qu'une créature croie pouvoir escompter mon désir, le prévoir, mécaniquement s'adapter à ce qu'elle suppose mon choix.

*Marguerite Yourcenar*

✦

Les barricades n'ont que deux côtés.

*Elsa Triolet*

✦

Choisir la vie, c'est toujours choisir l'avenir. Sans cet élan qui nous porte en avant nous ne serions rien de plus qu'une moisissure à la surface de la terre.

*Simone de Beauvoir*

✦

S'il y a quelque chose à faire, faisons-le. Ne laissons rien aux mains du hasard, rien aux mains de quelqu'un qui ne me connaît pas. C'est moi qui me connais le mieux. Alors, je respire un bon coup et en avant.

*Anita Baker*

✦

Si seulement on pouvait être tout à fait pour, ou tout à fait contre !

*Simone de Beauvoir*

✦

Que le mal nous façonne, il faut bien l'accepter. Mieux est de façonner le mal à notre usage, et même à notre commodité.

*Colette*

# Cœur

Celui qui a bon cœur n'est jamais sot.

*George Sand*

Le cœur n'a pas de rides.

*Madame de Sévigné*

Ne fais que ce que te dicte ton cœur.

*Lady Diana*

Donne tes mains pour servir et ton cœur pour aimer.

*Mère Teresa*

Qui peut savoir ce qui se passe au fond d'un cœur humain ? Qui a le droit de savoir ? Personne, personne.

*Anne Hébert*

❧

La beauté du monde, qui est si fragile, a deux arêtes, l'une de rire, l'autre d'angoisse, coupant le cœur en deux.

*Virginia Woolf*

# Construction

On n'existe pas sans faire.

*Simone de Beauvoir*

∽

Construire, c'est collaborer avec la terre : c'est mettre une marque humaine sur un paysage qui en sera modifié à jamais.

*Marguerite Yourcenar*

☞

Quel homme peut prévoir les conséquences de ses actes ?

*Simone de Beauvoir*

# Courage

Quand on est mal parti, il faut essayer de continuer.
*Françoise Sagan*

❧

À un moment donné, pour que quelque chose fonctionne de nouveau, il faut prendre le risque de tout perdre.

*Isabelle Adjani*

❧

Le courage et la joie sont deux facteurs vitaux.
*Anne Frank*

❧

De temps en temps, il faut savoir se montrer courageux et sauter du haut de la falaise.

*Björk*

❧

On n'en fera jamais beaucoup si on n'est pas assez courageux pour essayer.

*Dolly Parton*

❧

Tous nous serions transformés si nous avions le courage d'être ce que nous sommes.

*Marguerite Yourcenar*

❧

On est heureux dans la mesure de ses propres efforts, une fois que l'on connaît les ingrédients nécessaires au bonheur : des goûts simples, une certaine dose de courage, jusqu'à un certain point, de l'abnégation, l'amour du travail et, surtout, une conscience tranquille.

*Dolly Parton*

❧

Le courage de ceux qui se regardent dans la glace le matin et articulent distinctement ces quelques mots pour eux seuls : « Ai-je le droit à l'erreur ? » Juste ces quelques mots… Le courage de regarder sa vie en face, de n'y voir rien d'ajusté, rien d'harmonieux. Le courage de tout casser, de tout saccager par… par égoïsme ? Par pur égoïsme ? Mais non, pourtant… Alors qu'est-ce ? Instinct de survie ? Lucidité ? Peur de la mort ? Le courage de s'affronter. Au moins une fois dans sa vie. De s'affronter, soi. Soi-même. Soi seul. Enfin. « Le droit à l'erreur », toute petite expression, tout petit bout de phrase, mais qui te le donnera ? Qui, à part toi ?

*Anna Gavalda*

# Désir

De nombreuses personnes se font une fausse idée du bonheur. On ne l'atteint pas en satisfaisant ses désirs, mais en se vouant à un but louable.

*Helen Keller*

❧

J'ai envie d'être moi, de penser comme moi. Au lieu de m'étouffer avec un cache-nez dont je n'ai choisi ni la laine ni la couleur, laissez-moi respirer avec mon nez.

*Frédérique Hébrard*

❧

Je juge les actes à l'aune de la jouissance qu'ils donnent.

*Amélie Nothomb*

❧

C'est le désir qui crée le désirable et le projet qui pose la fin.

*Simone de Beauvoir*

# Destin

La quiétude… C'est le bien de ceux qui ont à jamais choisi une part de leur destin, et rejeté l'autre.

*Colette*

❧

Quand l'aveugle destin aurait fait une loi
Pour me faire vivre sans cesse,
J'y renoncerais par tendresse,
Si mes amis n'étaient immortels comme moi.

*Madeleine de Scudéry*

❧

Il faut toujours un coup de folie pour bâtir un destin.

*Marguerite Yourcenar*

❧

Chacun son karma ; si on veut changer sa destinée, il faut être actif. En restant assis, la vie s'impose à vous.

*Madonna*

❧

Rien n'est jamais à l'abri du destin. N'admire jamais le pouvoir, ne hais pas l'ennemi, ne méprise pas celui qui souffre.

*Simone Weil*

❧

Ce qui compte c'est se libérer soi-même, découvrir ses propres dimensions, refuser les entraves.

*Virginia Woolf*

# Deux

Entre deux individus, l'harmonie n'est jamais donnée, elle doit indéfiniment se conquérir.

*Simone de Beauvoir*

Ce qu'on attend de l'être avec qui l'on vit, c'est qu'il vous maintienne au niveau le plus élevé de vous-même.

*Virginia Woolf*

Il me semblait que la Terre n'aurait pas été habitable si je n'avais eu personne à admirer.

*Simone de Beauvoir*

Magiques enfin l'amour, et la haine, qui impriment dans nos cerveaux l'image d'un être par lequel nous consentons à nous laisser hanter.

*Marguerite Yourcenar*

❦

Aimer un étranger comme soi-même implique comme contrepartie : s'aimer soi-même comme un étranger.

*Simone Weil*

# Devoir

Je refuse de choisir entre mon destin de femme qui travaille et ma vie de mère de famille. Je n'accepte de mourir à longueur d'année ni d'ennui domestique, ni de fatigue professionnelle. Je ne veux voir mes enfants ni deux heures par jour en courant, ni douze heures par jour en criant. Je ne crois ni au travail libérateur, ni au sacrifice féminin inconditionnel. J'ai envie de vivre. Je veux tout à la fois. J'en ai assez d'être une femme coupée en deux !

*Christiane Collange*

❦

Les femmes ne se demandent pas si une chose est possible, mais si elle est utile et, alors, elles l'accomplissent.

*Louise Michel*

🐿

Nous avons parfois le devoir d'être heureux.
*Marie-Claire Blais*

# DIEU

Je prends les gens un par un. Dieu a fait le monde suffisamment riche pour nourrir et vêtir tous les humains. Le monde sera surpeuplé quand nous oublierons de nous aimer.

*Mère Teresa*

Le mystère de l'incarnation se répète en chaque femme ; tout enfant qui naît est un Dieu qui se fait homme.

*Simone de Beauvoir*

L'amour instruit les dieux et les hommes, car nul n'apprend sans désirer apprendre.

*Simone Weil*

Dieu a créé les riches pour donner aux pauvres le paradis en spectacle.

*Christiane Singer*

ɕ੭

L'erreur est humaine, mais elle a quelque chose de divin.

*Mae West*

# Égalité

Ce qui imprègne irrévocablement la plus sainte même, la plus épanouie des femmes, en tant que loi imposée à toute son existence physique, ce qui la différencie de l'homme n'est rien qui doive l'amener à se sentir inférieure à l'homme, mais bien au contraire ce qui lui permet de s'affirmer à côté de lui, dans toute la spécificité féminine de ses dons ; car il s'agit là d'un fait extraordinairement important et riche de conséquence : le rythme naturel de sa vie, et physiologique, et psychique.

*Lou Andréas-Salomé*

Aimer un être, c'est tout simplement reconnaître qu'il existe autant que vous.

*Simone Weil*

54

Quand une femme connaît la préférence d'un homme, cigare compris, quand un homme sait ce qui plaît à une femme, ils sont bien armés l'un contre l'autre.

*Colette*

❧

La femme serait vraiment l'égale de l'homme le jour où, à un poste important, on désignerait une femme incompétente.

*Françoise Giroud*

❧

La femme n'est victime d'aucune mystérieuse fatalité : il ne faut pas conclure que ses ovaires la condamnent à vivre éternellement à genoux.

*Simone de Beauvoir*

# ENFANTS

Chagrin d'enfant et rosée du matin n'ont pas de durée.

*George Sand*

❧

Qu'est-ce qu'un adulte ? Un enfant gonflé d'âge.

*Simone de Beauvoir*

❧

Les enfants vous prennent pour ce que vous êtes et pas pour ce que vous représentez.

*Jodie Foster*

❧

Qu'il s'agisse d'une bête ou d'un enfant, convaincre c'est affaiblir.

*Colette*

❧

Je n'ai jamais voulu avoir d'enfants, de peur de faire un petit soldat, un militaire, un tueur. On n'est jamais sûrs…

*Arletty*

❧

Les enfants réinventent le monde pour vous.

*Susan Sarandon*

❧

Si vos enfants ne vous ont jamais détesté, vous n'avez jamais été un parent.

*Bette Davis*

❧

Si nos enfants doivent être libres, ils doivent l'être de nous-mêmes également, de nos croyances limitatives, des habitudes et des goûts que nous avons acquis.

*Marilyn Ferguson*

# ESPOIR

Les déceptions ne tuent pas et les espérances font vivre.

*George Sand*

❧

Les sacrifices que l'on fait, les arrangements avec l'existence ne tendent qu'à ce but : se donner du temps.

*Madeleine Chapsal*

❧

Dans toutes les larmes s'attarde un espoir.

*Simone de Beauvoir*

❧

Partout et toujours, cherche sans te lasser le remède qui soulage, sème l'espoir : ça vivifie, et ton amour peut faire des miracles.

*Sœur Emmanuelle*

❧

Le malheur est que, parfois, des souhaits s'accomplissent, afin que se perpétue le supplice de l'espérance.

*Marguerite Yourcenar*

# ESPRIT

L'esprit cherche et c'est le cœur qui trouve.

*George Sand*

La colère donne de l'esprit aux hommes ternes, mais les laisse à leur pauvreté.

*Elizabeth I$^{re}$*

Aucun pessimiste n'a jamais découvert le secret des étoiles, navigué jusqu'à des terres inconnues, ou ouvert un nouveau chemin pour l'esprit humain.

*Helen Keller*

Il y a deux espèces de questions, l'interrogation et la réponse : ceux qui interrogent posent la question, ceux qui répondent la déplacent.

*Natalie Clifford Barney*

❧

L'amour a raison de tout, sauf la pauvreté et le mal de dents.

*Marguerite Power Blessington*

❧

Quand les gens font des compliments, ils s'arrangent toujours pour laisser place à l'éloge qu'ils désirent eux-mêmes recevoir.

*Virginia Woolf*

# Expérience

On n'a qu'une seule vie : c'est pour cela que l'on doit tenter toutes les expériences.

*Björk*

～

On croit que, lorsqu'une chose finit, une autre recommence tout de suite. Non. Entre les deux, c'est la pagaille.

*Marguerite Duras*

～

C'est avoir tort que d'avoir raison trop tôt.

*Marguerite Yourcenar*

～

Il faut dans cet examen reconnaître d'abord combien des événements, semblables en apparence diffèrent selon le caractère de ceux qui les éprouvent.

*Madame de Staël*

La fatalité triomphe dès qu'on croit en elle.

*Simone de Beauvoir*

J'ai appris que, pour être prophète, il suffisait d'être pessimiste.

*Elsa Triolet*

Le malheur contraint à reconnaître comme réel ce qu'on ne croit pas possible.

*Simone Weil*

Nous nous croyons purs tant que nous méprisons ce que nous ne désirons pas.

*Marguerite Yourcenar*

Les gens ont toujours peur de la nouveauté. Pour faire du neuf, il faut se donner le droit à l'erreur.

*Björk*

Les épreuves nous font grandir, elles sont comme les bûches sèches qui alimentent le feu.

*Indira Gandhi*

# FAMILLE

Que pouvez-vous faire pour promouvoir la paix
dans le monde ? Rentrer chez vous et aimer votre
famille !

*Mère Teresa*

Les parents ne peuvent que nous conseiller et nous
indiquer le chemin à suivre, mais la formation essen-
tielle de notre caractère se trouve entre nos propres
mains.

*Anne Frank*

Si vous gâchez l'éducation de vos enfants, ce que
vous pouvez réussir à côté importe peu !

*Jackie Kennedy*

# FEMMES

✳ On ne naît pas femme : on le devient.

*Simone de Beauvoir*

❧

Les femmes ont à leur disposition deux armes ter-
ribles : le fard et les larmes. Heureusement pour les
hommes, elles ne peuvent pas s'en servir en même
temps.

*Marilyn Monroe*

❧

Moi-même je n'ai jamais pu définir précisément le
féminisme : je sais seulement que les gens me trai-
tent de féministe quand j'exprime des sentiments qui
me différencient d'un paillasson.

*Rebecca West*

❧

Une femme qui reste une femme, c'est un être complet.

*Colette*

༺ᜩ༻

Les femmes sont cette deuxième moitié du ciel qui constitue, sans discussion possible, la deuxième moitié de la Terre.

*Bernadette Chirac*

༺ᜩ༻

Une femme se réclame d'autant de pays natals qu'elle a eu d'amours heureux.

*Colette*

༺ᜩ༻

Une très belle femme qui regarde son image au miroir peut très bien croire qu'elle est cela. Une femme laide sait qu'elle n'est pas cela.

*Simone Weil*

༺ᜩ༻

Je conseillerais aux femmes, lorsqu'elles viennent à se demander quel est l'effet des ans sur leur charme, de consulter moins leur miroir que le visage de leurs contemporaines.

*Marie de Flavigny d'Agoult*

༺ᜩ༻

Les femmes ne veulent pas être les égales des hommes. Il faudrait nous lobotomiser pour ça.

*Roseanne Barr*

❦

Je ne me soucie pas de vivre dans un monde d'hommes si je peux y être une femme.

*Marilyn Monroe*

❦

Comme les vêtements sont posés sur des cintres dans les armoires, certaines femmes sont accrochées à des cintres invisibles chez leurs maris qui les utilisent en cas de besoin.

*Taslima Nasreen*

# FORCE

À chaque occasion où l'on doit s'arrêter pour regarder la peur en face, on gagne en force, en courage et en confiance. Il faut faire les choses qui nous semblent impossibles.

*Eleanor Roosevelt*

೨

C'est dans la connaissance des conditions authentiques de notre vie qu'il nous faut puiser la force de vivre et des raisons d'agir.

*Simone de Beauvoir*

ഛ

Tout le monde peut essayer ce simple moyen, qui ne coûte rien et qui sert incontestablement à quelque chose. « C'est dans une conscience tranquille qu'on puise sa force. » Celui qui l'ignore peut l'apprendre et en faire l'expérience.

*Anne Frank*

La violence aux mains du peuple n'est pas la violence, mais la justice.

*Eva Perón*

La bonne foi n'est pas une fleur spontanée, la modestie non plus.

*Colette*

On dit souvent que la force est impuissante à dompter la pensée ; mais pour que ce soit vrai, il faut qu'il y ait pensée. Là où les opinions irraisonnées tiennent lieu d'idées, la force peut tout.

*Simone Weil*

# Homme

L'amour est l'histoire de la vie des femmes, c'est un épisode dans celle des hommes.

*Madame de Staël*

Aller au-delà sans fin, parce que nous sommes des hommes.

*Elsa Triolet*

Contrairement à la croyance patriarcale, ce ne sont pas les hommes qui sont les premiers référents de l'humanité, mais les femmes. C'est par rapport à elles et contre elles qu'ils se définissent.

*Élisabeth Badinter*

La femme est la vie et l'homme est la borne. Voilà pourquoi la femme est supérieure à l'homme.

*Flora Tristan*

L'humain ne se manifeste pas dans l'exaltation mais dans la sobriété et la lucidité.

*Hannah Arendt*

Le rôle des femmes dans le monde d'aujourd'hui est tellement plus dur que celui des hommes que je sursaute chaque fois que j'entends un homme se plaindre.

*Katharine Hepburn*

# Horizon

Le grand secret de la vie est de se proposer un digne but et de ne le perdre jamais de vue.

*Christine de Suède*

⁂

Je fais reculer la mort à force de vivre, de souffrir, de me tromper, de risquer, de donner et de perdre.

*Anaïs Nin*

⁂

Toujours et jamais, c'est aussi long l'un que l'autre.

*Elsa Triolet*

⁂

Il n'y a pas de vacances à l'amour [...], ça n'existe pas. L'amour, il faut le vivre complètement avec son ennui et tout, il n'y a pas de vacances possibles à ça.

*Marguerite Duras*

Ma volonté façonnera mon futur. Que je rate ou que je réussisse, je ne le devrai à personne d'autre qu'à moi-même. Je suis forte ; je peux surmonter tous les obstacles sur ma route ou me perdre comme dans un labyrinthe. C'est mon choix, ma responsabilité, gagner ou perdre, je suis la seule à détenir la clé de ma destinée.

*Elaine Maxwell*

# IMAGINATION

L'imagination est le plus haut cerf-volant sur lequel on puisse s'envoler.

*Lauren Bacall*

❧

Je ne suis pas encore assez faible pour céder aux imaginations de la peur, presque aussi absurdes que celles de l'espérance, et assurément beaucoup plus pénibles… Je n'en suis pas moins arrivé à l'âge où la vie, pour chaque homme, est une défaite acceptée.

*Marguerite Yourcenar*

❧

L'amour a besoin de réalité. Aimer à travers une apparence corporelle un être imaginaire, quoi de plus atroce, le jour où l'on s'en aperçoit ? Bien plus atroce que la mort, car la mort n'empêche pas l'aimé d'avoir été.

*Simone Weil*

La seule vie qui soit passionnante est la vie imaginaire.

*Virginia Woolf*

# Indépendance

Loin de tous ceux qui voudraient s'occuper de moi, je peux vivre comme je l'entends et fermer chaque soir ma porte en disant « Dieu merci, je suis seule ».
*Louise Brooks*

Toute dépendance entraîne l'anxiété. Parce qu'on vit à travers un autre et que l'on craint de perdre l'autre.
*Anaïs Nin*

Le dépendant tient le superflu pour l'essentiel.
*Madame de Staël*

Lorsque je marche seule pendant des heures, je m'accepte telle que je suis. Je ne m'interdis rien et ne laisse pas les autres m'interdire quoi que ce soit.
*Anaïs Nin*

# INTELLIGENCE

Dans le domaine de l'intelligence, la vertu d'humilité n'est autre chose que le pouvoir d'attention.

*Simone Weil*

❧

Une femme qui se croit intelligente réclame les mêmes droits que l'homme. Une femme intelligente y renonce.

*Colette*

❧

Le genre humain hérite du génie, et les véritables grands hommes sont ceux qui ont rendu leurs pareils moins nécessaires aux générations suivantes.

*Madame de Staël*

❧

On n'a rien inventé de mieux que la bêtise pour se croire intelligent.

*Amélie Nothomb*

Dès qu'on a pensé quelque chose, chercher en quel sens le contraire est vrai.

*Simone Weil*

Je ne crois pas à l'importance de ce que je fais, mais je crois important de savoir ce que je fais.

*Françoise Giroud*

# Infini

L'homme est tout entier dans chaque homme.

*Madame de Staël*

❧

On ne meurt pas d'être né, ni d'avoir vécu, ni de vieillesse. On meurt de quelque chose.

*Simone de Beauvoir*

❧

Nous ne connaissons l'infini que par la douleur.

*Madame de Staël*

❧

Le sentiment de l'infini est le véritable attribut de l'âme.

*Madame de Staël*

❧

L'infini fait autant de peur à notre vue qu'il plaît à notre âme.

*Madame de Staël*

# JEUNESSE

La jeunesse est la seule génération raisonnable.
*Françoise Sagan*

Ô lutteuses !
C'est de lutter
Que vous restez jeunes.

*Colette*

La jeunesse n'aime pas les vaincus.
*Simone de Beauvoir*

# JOIE

J'accepte la vie comme elle est, avec sa laideur, ses manques, ses ironies, seulement pour la joie, la joie de la vie.

*Anaïs Nin*

❧

La joie est notre évasion hors du temps.

*Simone Weil*

❧

C'est insulter les autres que de paraître dédaigner leurs joies.

*Marguerite Yourcenar*

❧

Comme j'aime que tu existes.

*Simone de Beauvoir*

❧

On ne pourrait apprendre le courage et la patience
s'il n'existait que de la joie dans le monde.

*Helen Keller*

Les joies les plus pures sont les plus extrêmes.

*Björk*

# Jouissance

Toute jouissance est projet.

*Simone de Beauvoir*

❧

Faites des bêtises, mais faites-les avec enthousiasme.

*Colette*

❧

L'extase voluptueuse est le but souverain de l'existence.

*Amélie Nothomb*

# Liberté

Rien au monde ne peut empêcher l'homme de se sentir né pour la liberté. Jamais, quoi qu'il advienne, il ne peut accepter la servitude ; car il pense.

*Simone Weil*

❧

L'homme est libre ; mais il trouve sa loi dans sa liberté même.

*Simone de Beauvoir*

❧

La vraie élégance, toujours personnelle et raisonnable, est une forme de la liberté fondée sur la connaissance de soi.

*Louise de Vilmorin*

❧

Nous sommes libres de changer le monde et d'y introduire de la nouveauté. Sans cette liberté mentale de reconnaître ou de nier l'existence, [...] il n'y aurait aucune possibilité d'action.

*Hannah Arendt*

❧

Il n'y a pas de liberté sans intelligence et sans compréhension réciproques.

*Virginia Woolf*

❧

Plus j'avance dans la vie, plus je vais à l'essentiel, je m'encombre moins du paraître. Et, curieusement, cette liberté donne un coup de jeune !

*Monica Bellucci*

❧

Créer est aussi difficile que d'être libre.

*Elsa Triolet*

❧

La liberté est le meilleur des aphrodisiaques.

*Björk*

# Lumière

Ce qui est important, c'est cette lumière intérieure qui est en tous.

*Jeanne Moreau*

❧

Au milieu des ténèbres, je souris à la vie, comme si je connaissais la formule magique qui change le mal et la tristesse en clarté et en bonheur. Alors, je cherche une raison à cette joie, je n'en trouve pas et ne puis m'empêcher de sourire de moi-même. Je crois que la vie elle-même est l'unique secret.

*Rosa Luxemburg*

❧

Gardez votre visage dans le soleil et vous ne verrez pas les ombres.

*Helen Keller*

# MÉMOIRE

Les choses prennent forme progressivement et, du jour où nous nous sentons bien dans notre corps, où nous acceptons vraiment notre image, nous l'adoptons, la mémorisons.

*Barbara*

❧

La mémoire est une très bonne personne mais il faut s'occuper d'elle, et ne jamais la délaisser.

*Sarah Bernhardt*

❧

Le bonheur, c'est avoir une bonne santé et une mauvaise mémoire.

*Ingrid Bergman*

❧

La mémoire de la plupart des hommes est un cimetière abandonné, où gisent sans honneurs des morts qu'ils ont cessé de chérir.

*Marguerite Yourcenar*

❧

L'oubli est un gigantesque océan sur lequel navigue un seul navire, qui est la mémoire.

*Amélie Nothomb*

❧

C'est terrible la mémoire lorsqu'elle se montre à l'horizon comme une marée en marche.

*Anne Hébert*

# Monde

Une seule chose compte : c'est l'engrenage magnifique qui s'appelle le monde.

*Ella Maillart*

❧

L'univers est harmonie, puissance architecturale dans laquelle chaque élément occupe une place de choix : la diversité ordonnée concourt à la beauté du Tout.

*Marie-Madeleine Davy*

❧

Le monde est « un » et l'homme est l'image de ce monde. D'où pour connaître l'Univers, il devient nécessaire à l'homme de se connaître lui-même.

*Marie-Madeleine Davy*

# Mots

Des mots aimables peuvent être courts et faciles à dire, mais leur écho est vraiment sans fin.

*Mère Teresa*

❧

Il existe des mots plus assassins que des coups de poignard, des mots apparemment imparfaits qui transportent vers un autre monde.

*Christine Orban*

❧

Le mot est liberté.

*Zoé Valdés*

❧

Les mots sont ces quelques feuilles qui créent l'illusion d'un arbre avec toutes ses feuilles.

*Elsa Triolet*

❧

La chair contre la chair produit un parfum, mais le frottement des mots n'engendre que souffrance et division.

*Anaïs Nin*

❧

On ne doit plus craindre les mots lorsqu'on a consenti aux choses.

*Marguerite Yourcenar*

# Nature

Regarder le ciel, les nuages, la lune et les étoiles m'apaise et me rend l'espoir, ce n'est vraiment pas de l'imagination. C'est un remède bien meilleur que la valériane et le bromure. La nature me rend humble, et me prépare à supporter tous les coups avec courage.

*Anne Frank*

❧

Par la soif, on apprend l'eau.

*Emily Dickinson*

❧

Le monde m'est nouveau à mon réveil chaque matin et je ne cesserai d'éclore que pour cesser de vivre.

*Colette*

❧

Les papillons ne sont que des fleurs envolées un jour de fête où la nature était en veine d'invention et de fécondité.

*George Sand*

Quand vous réalisez que la nature peut vous tuer, vous devenez humble.

*Björk*

La nature est pour nous un réconfort et un défi nécessaires.

*Taslima Nasreen*

# OPTIMISME

Je sais ce que je veux, j'ai un but dans la vie, je me forme une opinion, j'ai ma religion et mon amour. Je suis consciente d'être femme, une femme avec une force morale et beaucoup de courage.

*Anne Frank*

❧

Il ne faut pas pleurer pour ce qui n'est plus mais être heureux pour ce qui a été.

*Marguerite Yourcenar*

❧

Aimer, c'est forcément être optimiste.

*Bernadette Chirac*

# OSER

Soyez à vous-même votre propre flambeau et votre propre secours.

*Alexandra David-Néel*

☙

Je souhaite être tout ce que je suis capable de devenir.

*Katherine Mansfield*

☙

Risque ! Risque tout ! Ne t'occupe plus de ce que peuvent penser ou dire les autres. Fais, pour toi seule (seul), les choses les plus difficiles de la terre. Agis pour toi-même. Fais face à la réalité !

*Katherine Mansfield*

☙

Il faut tout oser.

*Sappho*

❧

En amour, il y a un temps pour plonger, mais il faut attendre que la piscine se remplisse si l'on ne veut pas plonger dans un bain de pied.

*Fanny Ardant*

❧

Le doute et la peur sont les auxiliaires des grandes initiatives.

*Amélie Nothomb*

❧

Personne ne peut vous faire sentir inférieur sans votre propre consentement.

*Eleanor Roosevelt*

# PAIX

Je vois le monde transformé de plus en plus en désert, j'entends, toujours plus fort, le grondement du tonnerre qui approche, et qui annonce probablement notre mort ; je compatis à la douleur de millions de gens, et pourtant, quand je regarde le ciel, je pense que ça changera et que tout redeviendra bon, que même ces jours impitoyables prendront fin, que le monde connaîtra de nouveau l'ordre, le repos et la paix.

*Anne Frank*

❧

Trouver la paix, pouvoir m'asseoir et écouter hors de toute influence ce qui est en moi.

*Liv Ullman*

❧

Insistons sur le développement de l'amour, la gentillesse, la compréhension, la paix. Le reste nous sera offert.

*Mère Teresa*

༄

J'admire la gentillesse qui a pour origine la gentillesse ou l'amour. Mais connaissez-vous beaucoup de gens qui la pratiquent, cette gentillesse-là ? Dans l'immense majorité des cas, quand les humains sont gentils, c'est pour qu'on leur fiche la paix.

*Amélie Nothomb*

# $\mathcal{P}$ARTAGE

Nous savons bien que ce que nous faisons n'est qu'une goutte dans l'océan. Mais si cette goutte n'était pas dans l'océan, elle manquerait.

*Mère Teresa*

❧

Ne laissez personne venir à vous et repartir sans être plus heureux.

*Mère Teresa*

❧

L'on peut vivre au milieu des hommes sans rien connaître de leurs histoires.

*Marie Desplechin*

❧

C'est trop dur à porter la vie des autres lorsqu'on ne peut rien pour eux.

*Anne Hébert*

Ce qui est important, c'est l'intensité d'amour que vous mettez dans le plus petit geste.

*Mère Teresa*

Bien des gens acceptent de faire de grandes choses. Peu se contentent de faire de petites choses au quotidien.

*Mère Teresa*

Je suis convaincue qu'avec une prise de conscience générale et urgente liée au destin de toute l'humanité, au-delà des différences séparant les hommes, rendant nos actions plus faibles, nous pourrions sauver toutes ces espèces en voie d'extinction et faire bien plus encore.

*Crystel Becker*

L'amour extrême ne se mesure pas, il se contente de donner.

*Mère Teresa*

Ce qui compte ce n'est pas ce que l'on donne, mais l'amour avec lequel on donne.

*Mère Teresa*

# Passé

Quand on aime la vie, on aime le passé, parce que c'est le présent tel qu'il a survécu dans la mémoire humaine.

*Marguerite Yourcenar*

ॐ

Pour que la vieillesse ne soit pas une dérisoire parodie de notre existence antérieure, il n'y a qu'une solution, c'est de continuer à poursuivre des fins qui donnent un sens à notre vie.

*Simone de Beauvoir*

ॐ

Toutes mes résolutions sont inutiles ; je pensais hier tout ce que je pense aujourd'hui et je fais aujourd'hui le contraire de ce que je résolus hier.

*Madame de La Fayette*

ॐ

Un seul printemps dans l'année… et dans la vie une seule jeunesse.

*Simone de Beauvoir*

જી

Les parfums sont de puissants magiciens pouvant vous transporter au travers des années que vous avez vécues.

*Helen Keller*

# Passion

Il n'y a que le malheur qui soit vieux ; il n'y a que la passion qui soit raisonnable.

*Julie de Lespinasse*

❧

La passion reste en suspens dans le monde, prête à traverser les gens qui veulent bien se laisser traverser par elle.

*Marguerite Duras*

❧

Il n'y a de passions que celles qui nous frappent d'abord et nous surprennent ; les autres ne sont que des liaisons où nous portons volontairement notre cœur. Les véritables inclinaisons nous l'arrachent malgré nous.

*Madame de La Fayette*

❧

Les passions peuvent me conduire, mais elles ne sauraient m'aveugler.

*Madame de La Fayette*

Tout doit être fait avec passion.

*Björk*

La passion comblée a son innocence, presque aussi fragile que toute autre.

*Marguerite Yourcenar*

Changer, c'est la chose la plus difficile à accomplir. Il y a des gens qui ne connaissent jamais ça, qui restent fermés jusqu'à la mort, par peur du changement. Si je n'étais pas passée par une épreuve – par la passion, on peut le dire –, par ces années si douloureuses et si riches, je ne crois pas que je pourrais aborder ma vie et ma carrière comme je le fais aujourd'hui.

*Isabelle Adjani*

# Pensée

La pensée fuit le malheur aussi promptement, aussi irrésistiblement qu'un animal fuit la mort.

*Simone Weil*

༄

Il n'est pas difficile de nourrir des pensées admirables lorsque les étoiles sont présentes.

*Marguerite Yourcenar*

༄

Agissez avec passion mais pensez avec clarté.

*Hannah Arendt*

༄

Ce qui importe, ce n'est pas ce que les autres pensent de moi mais ce que moi, je pense des autres.
*Lou Andréas-Salomé*

Nous sommes peu à penser trop, trop à penser peu.
*Françoise Sagan*

# Plaisir

À quoi bon se rappeler ce qui n'est pas lié au plaisir ?

*Amélie Nothomb*

❧

Le vice, c'est le mal qu'on fait sans plaisir.

*Colette*

❧

Si on respecte toutes les règles, on gâche tout le plaisir.

*Katharine Hepburn*

❧

Le plaisir est une merveille qui m'apprend que je suis moi.

*Amélie Nothomb*

❧

Il y a souvent plus d'angoisse à attendre un plaisir qu'à subir une peine.

*Colette*

❧

La volupté, voulant une religion, inventa l'amour.
*Natalie Clifford Barney*

❧

Pourquoi ne pas profiter immédiatement des plaisirs ? Combien d'instants de bonheur ont été gâchés par trop de préparation ?

*Jane Austen*

# Pouvoir

Les femmes ont pendant des siècles servi aux hommes de miroirs, elles possédaient le pouvoir magique et délicieux de réfléchir une image de l'homme deux fois plus grande que nature.

*Virginia Woolf*

❧

Si vous ne pouvez pas nourrir cent personnes, nourrissez-en au moins une.

*Mère Teresa*

❧

Conquérons le monde avec notre amour. Entrelaçons nos vies, tissons-les des liens du sacrifice et de l'amour, il nous sera possible de conquérir le monde.

*Mère Teresa*

# Raison

Philosopher n'est qu'une façon de raisonner la mélancolie.

*Louise de Vilmorin*

❧

Parmi les êtres humains, on ne reconnaît pleinement l'existence que de ceux qu'on aime.

*Simone Weil*

❧

Je préfère être critiquée pour celle que je suis, qu'être aimée pour celle que je ne suis pas.

*Christine Orban*

# REGARD

La vie commence là où commence le regard.
*Amélie Nothomb*

❧

À la racine du mensonge se trouve l'image idéalisée
que nous avons de nous-mêmes et que nous souhai-
tons imposer à autrui.

*Anaïs Nin*

❧

On ne fait jamais attention à ce qui a été fait ; on ne
voit que ce qui reste à faire.

*Marie Curie*

❧

Le regard posé sur vous de l'extérieur est rarement
le même que celui qui vous rend à vous-même.
*Isabelle Adjani*

Ce qui fait l'homme comme la femme, c'est la manière dont il ou elle regarde l'autre, dont il ou elle vit et aime, comment il ou elle se développe.

*Sœur Emmanuelle*

Mon fils, si tu as besoin d'un coup de main dans la vie, n'oublie pas de regarder au bout de tes deux bras.

*Andrée Maillet*

# Réussite

Qu'est-ce que cela veut dire « réussir » ? N'est-ce pas
faire ce que l'on aime avec le plus d'élan possible ?
*Anne Hébert*

❧

Toute réussite déguise une abnégation.
*Simone de Beauvoir*

❧

Le succès semble plus doux
À qui ne réussit jamais.

*Emily Dickinson*

❧

L'angoisse est liée à l'obsession de la réussite pour
atteindre une sécurité qui n'est qu'illusoire.
*Anaïs Nin*

❧

On ne fait bien que ce qu'on aime.

*Colette*

❧

Sans échec, pas de morale.

*Simone de Beauvoir*

❧

Vous devez au monde de faire ce pour quoi vous êtes naturellement doué.

*Björk*

❧

La marque des grands champions, c'est de savoir utiliser leurs échecs pour arriver à la victoire.

*Laura Flessel*

❧

La plus grande réussite de ce monde, ce serait de demeurer parfaitement secret, à tous et à soi-même. Plus de question, plus de réponse, une longue saison, sans âge ni raison, ni responsabilité, une espèce de temps sauvage, hors du temps et de la conscience.

*Anne Hébert*

# Rêve

Notre vie est pour une grande part composée de rêves. Il faut les rattacher à l'action.

*Anaïs Nin*

❧

Le vrai rêveur est celui qui rêve de l'impossible.

*Elsa Triolet*

❧

Je crois qu'on ne peut rêver que si on a les pieds sur terre. Plus les racines sont profondes, plus les branches sont porteuses.

*Juliette Binoche*

❧

Il y a des moments pour soi, pour Dieu, pour les amis, pour son travail, pour la rêverie, pour le sommeil, pour l'amour. Mais chaque moment est essentiel.

*Ken Bugul*

෫

L'amour est un rêve pour deux.

*Björk*

෨

Le rêve est une vie à part entière.

*Christine Orban*

෫

Jetez vos rêves dans l'espace comme un cerf-volant, et vous ne savez pas ce qu'il rapportera, une nouvelle vie, un nouvel ami, un nouvel amour, un nouveau pays.

*Anaïs Nin*

෨

Il va falloir rêver car, pour que les choses deviennent possibles, il faut d'abord les rêver.

*Madeleine Chapsal*

# Richesse

La vie est une richesse. Conserve-la.

*Mère Teresa*

❧

Si tu veux l'arc-en-ciel, tu dois supporter la pluie.

*Dolly Parton*

❧

Le manque d'amour est la plus grande pauvreté.

*Mère Teresa*

❧

Le monde ne te fera pas de cadeau, crois-moi. Si tu veux avoir une vie, vole-la.

*Lou Andreas-Salomé*

❧

De bonnes paroles peuvent être brèves et faciles à dire mais leur écho est véritablement éternel.

*Mère Teresa*

# RIRE

Le sens des valeurs, même si ça peut paraître idiot…
Ne pas se disperser, conduire sa route. Savoir ce
qu'on veut. S'amuser, rire, et savourer la vie, bien
entendu, mais ne pas se laisser avoir par l'extérieur à
paillettes…

*Monica Bellucci*

On ne possède pas le bonheur comme une acquisi-
tion définitive. Il s'agit à chaque instant de faire jaillir
une étincelle de joie. Ne l'oublions pas : « Souris au
monde et le monde te sourira. »

*Sœur Emmanuelle*

Pourquoi sommes-nous au monde, sinon pour
amuser nos voisins et rire d'eux à notre tour ?

*Jane Austen*

# SAGESSE

C'est parce qu'il y a un vrai danger, de vrais échecs, une vraie damnation terrestre, que les mots de victoire, de sagesse ou de joie ont un sens.

*Simone de Beauvoir*

☙

Il y a plus d'une sagesse, et toutes sont nécessaires au monde ; il n'est pas mauvais qu'elles alternent.

*Marguerite Yourcenar*

☙

On ne trouve de bon dans la vie que ce qui la fait oublier.

*Madame de Staël*

☙

Ne gâtons-nous pas les choses en les exprimant ?

*Virginia Woolf*

Vous avez peut-être raison, mais avoir raison n'est peut-être pas avoir grand-chose.

*Natalie Clifford Barney*

Il faut éviter de penser à ces difficultés que présente le monde, quelquefois. Sans ça, il deviendrait tout à fait irrespirable.

*Marguerite Duras*

Des moments libres. Toute vie bien réglée a les siens, et qui ne sait pas les provoquer ne sait pas vivre.

*Marguerite Yourcenar*

# Sérénité

Les erreurs font partie du tribut à payer pour une vie bien remplie.

*Sophia Loren*

Il n'y a rien à craindre de la vie. Il y a tout à comprendre.

*Marie Curie*

Tant que cela existe, et que je puis y être sensible – ce soleil radieux, ce ciel sans nuages –, je ne peux pas être triste.

*Anne Frank*

La connaissance de la vie est comme le sable : elle ne se salit pas.

*Elsa Triolet*

Le pire de certaines haines, c'est qu'elles sont si viles et rampantes qu'il faut se baisser pour les combattre.

*Marie de Flavigny d'Agoult*

Il faut haïr très peu, car c'est très fatigant.

*Sarah Bernhardt*

Prenez du chocolat afin que les plus méchantes compagnies vous paraissent bonnes.

*Madame de Sévigné*

# Silence

La parole ne représente parfois qu'une manière, plus adroite que le silence, de se taire.

*Simone de Beauvoir*

⬧

Le silence est comme le vent : il attise les grands malentendus et n'éteint que les petits.

*Elsa Triolet*

⬧

Tout être humain normal, qu'il soit une femme ou un homme, a besoin d'être parfois seul.

*Ken Bugul*

⬧

Le silence est plus tapageur que tout.

*Amélie Nothomb*

⬧

Tout a ses merveilles, l'obscurité et le silence aussi.
*Helen Keller*

Le silence est si doux, lorsqu'il peut consoler l'amour-propre !

*Julie de Lespinasse*

Le silence est fait de paroles que l'on n'a pas dites.
*Marguerite Yourcenar*

# Soi

Pour parler de soi, il faut parler de tout le reste.

*Simone de Beauvoir*

❧

Toutes les fois qu'on fait vraiment attention, on détruit du mal en soi.

*Simone Weil*

❧

Les hasards de notre vie nous ressemblent.

*Elsa Triolet*

❧

Rien de plus sale que l'amour-propre.

*Marguerite Yourcenar*

❧

Vint un temps où le risque de rester à l'étroit dans un bourgeon était plus douloureux que le risque d'éclore.

*Anaïs Nin*

❧

Dès l'instant où l'on manque d'assurance en soi, on devient plus fragile et plus vulnérable.

*Ken Bugul*

❧

Une chose qu'on connaît bien pour l'avoir possédée, on n'en est jamais tout à fait privé.

*Colette*

❧

Avoir du mérite à s'abstenir d'une faute, c'est une façon d'être coupable.

*Marguerite Yourcenar*

❧

Le premier ennemi à combattre est à l'intérieur de soi. Souvent, c'est le seul.

*Christine Orban*

❧

Lorsqu'on prétend se jouer des salauds, en vérité on se compromet avec eux.

*Simone de Beauvoir*

# Souvenirs

Je n'ai pas de mémoire, j'ai des souvenirs.

*Jeanne Moreau*

❧

Le souvenir est l'un des alliés les plus indispensables de la volupté.

*Amélie Nothomb*

❧

Je suis éternellement fidèle aux souvenirs ; je ne le serai jamais aux hommes.

*Lou Andreas-Salomé*

❧

Le souvenir est le parfum de l'âme.

*George Sand*

❧

Se souvenir, c'est s'écorcher.

*Françoise Giroud*

# ALENT

Sans ambition il n'y a pas de talent.

*Nina Berberova*

Quand on veut être artiste, c'est dans la vie qu'on doit chercher son inspiration.

*Madonna*

Sans les femmes, la société ne peut être ni agréable, ni piquante.

*Madame de Staël*

Je sais que je ne sais pas ce que je ne sais pas.

*Marguerite Yourcenar*

Le talent, c'est une question d'amour.

*Romy Schneider*

# EMPS

La contemplation du temps est la clé de la vie humaine.

*Simone Weil*

❧

Si l'on vit assez longtemps, on voit que toute victoire se change un jour en défaite.

*Simone de Beauvoir*

❧

La vieillesse est peut-être un naufrage, mais elle permet aussi d'aborder aux rivages bienheureux du détachement.

*Béatrix Beck*

❧

Le temps est une invention du mouvement. Celui qui ne bouge pas ne voit pas le temps passer.

*Amélie Nothomb*

❧

Ils se contentent de tuer le temps en attendant que le temps les tue.

*Simone de Beauvoir*

❧

Il y a des jours où la lune est superflue et d'autres où elle est absolument indispensable.

*Sylvia Plath*

❧

Si tu juges les gens, tu n'as pas le temps de les aimer.

*Mère Teresa*

❧

Le couple heureux qui se reconnaît dans l'amour défie l'univers et le temps ; il se suffit, il réalise l'absolu.

*Simone de Beauvoir*

❧

Tous mes biens pour un peu de temps.

*Elizabeth I$^{re}$*

❧

On ne trouve pas la solitude, on la fait.

*Marguerite Duras*

❧

Ce n'est pas que je sache bien employer mon temps, mais c'est que je sais bien le perdre ; et, soit dit sans me vanter, c'est peut-être la première de toutes les sciences.

*Duchesse de Choiseul*

La mort semble bien moins terrible, quand on est fatigué.

*Simone de Beauvoir*

# TENDRESSE

La vie est courte, même pour ceux qui vivent longtemps. Il faut vivre pour quelques-uns qui vous
connaissent, vous apprécient, vous jugent et vous
absolvent, et pour lesquels on a même tendresse et
indulgence.

*Sarah Bernhardt*

❧

Les seuls beaux yeux sont ceux qui vous regardent
avec tendresse.

*Coco Chanel*

❧

Sans la tendresse, l'amour ne serait rien.

*Marie Laforêt*

❧

La tendresse est respect et émerveillement de libre connaissance à travers la fibre de la fidélité…

*Rina Lasnier*

C'est cela la tendresse, l'équilibre des gestes, des mots qui sont à la mesure des sentiments.

*Anne Bernard*

# ℭolérance

Le meilleur aboutissement de l'éducation est la tolérance.

*Helen Keller*

❧

Le secret du bonheur en amour, ce n'est pas d'être aveugle mais de savoir fermer les yeux quand il le faut.

*Simone Signoret*

❧

Comprendre, c'est pardonner.

*Madame de Staël*

# TRAVAIL

C'est par le travail que la femme a en grande partie franchi la distance qui la séparait du mâle ; c'est le travail qui peut seul lui garantir une liberté concrète.

*Simone de Beauvoir*

Ne mesure pas ton travail tant que la journée n'est pas finie.

*Elizabeth Browning*

Traitez les gens comme des cochons et vous obtiendrez un travail de cochons. Traitez les gens comme des hommes et vous obtiendrez un travail d'hommes.

*Harriet Beecher Stowe*

On est travaillé par les choses, autant qu'on travaille sur elles.

*Isabelle Adjani*

# Vérité

Il n'y a pas plus prude que celui qui a un secret à cacher.

*George Sand*

❧

Connaître ce qui lui était caché, c'est la griserie, l'honneur et la perte de l'homme.

*Colette*

❧

Aimer la vérité signifie supporter le vide, et par suite accepter la mort. La vérité est du côté de la mort.

*Simone Weil*

❧

Le vrai est trop simple, il faut y arriver toujours par le compliqué.

*George Sand*

Nous ne voyons jamais les choses telles qu'elles sont, nous les voyons telles que nous sommes.

*Anaïs Nin*

La vérité ne dépend pas de la façon dont elle est dite, mais de la façon dont elle est interprétée.

*Zoé Valdés*

# VERTU

Il ne faut pas retourner certaines vertus : leur envers est plus laid que bien des vices.

*Marie de Flavigny d'Agoult*

❧

Notre grande erreur est d'essayer d'obtenir de chacun en particulier les vertus qu'il n'a pas, et de négliger de cultiver celles qu'il possède.

*Marguerite Yourcenar*

❧

La morale est une convention privée ; la décence est affaire publique ; toute licence trop visible m'a toujours fait l'effet d'un étalage de mauvais aloi.

*Marguerite Yourcenar*

# $\mathcal{V}$IE

La vie est une chance, saisis-la.

*Mère Teresa*

La vie n'est pas ce que l'on vit, elle est ce que l'on rêve.

*Louise de Vilmorin*

Il n'est rien de la vie que je veuille laisser passer auprès de moi sans le saisir.

*Simone de Beauvoir*

Il faut dévorer la vie.

*Björk*

Je ne perds jamais de vue que le seul fait d'exister est palpitant.

*Katharine Hepburn*

&

Il faut considérer la vie comme une partie que l'on peut gagner ou perdre.

*Simone de Beauvoir*

&

On ne donne pas la vie. On la transmet.

*Françoise Giroud*

&

Qui se souvient de tout se tourne avec amour vers la vie.

*Françoise Dolto*

&

La fin d'une vie n'est rien à côté de la fin d'un amour.

*Marie-Claire Blais*

# Volonté

Je ne détiens aucun secret, aucune formule magique.
Il faut prendre le voile, préserver son désir, ne jamais s'en départir, rester bien à l'intérieur de soi.
Exiger autant de soi que des autres.
« Vigiler » pour les autres autant que pour soi.
Vouloir avec une inentamable opiniâtreté.
Être sa vérité.
Ne jamais perdre espoir.
Vouloir recommencer.
Avoir peur mais avancer toujours.

*Barbara*

Pour tout homme, la volonté est une condition fondamentale du succès.

*Sarah Bernhardt*

Nous prenons acte de la naissance d'une irréductible volonté de partager l'univers et les enfants avec les hommes. Et cette volonté-là changera sans doute la future condition humaine.

*Élisabeth Badinter*

❦

Une idée est toujours une bonne idée, du moment qu'elle fait faire quelque chose.

*Marguerite Duras*

❧

Nos défauts sont parfois les meilleurs adversaires que nous opposions à nos vices.

*Marguerite Yourcenar*

❦

On ne fait pas de grandes choses, mais seulement des petites avec un amour immense.

*Mère Teresa*

❧

Si je prétendais assumer à l'infini les conséquences de mes actes, je ne pourrais plus rien vouloir.

*Simone de Beauvoir*

# *Index*

*Cet ouvrage a été composé
par Atlant'Communication
aux Sables-d'Olonne (Vendée)*

*Imprimé en juillet 2006
pour le compte
des Presses du Châtelet*

*Imprimé en Espagne*
N° d'édition : 270 – N° d'impression :
Dépôt légal : septembre 2006